La chica
de
Mar del Plata

Serie
Aventura joven

Título
La chica de Mar del Plata

Autores
Elvira Sancho y Jordi Surís

Coordinación editorial
Jaime Corpas

Redacción
Montse Belver

Diseño e ilustración de cubierta
Àngel Viola

Diseño interior y maquetación
Jasmina Car y Oscar García Ortega

Ilustraciones
Roger Zanni

Material auditivo
Voz:
Andrea Cazalla

Grabación y edición CD:
Blind Records

© 2009 los autores y Difusión, Centro de Investigación y
Publicaciones de Idiomas, S. L.

Reimpresión: agosto 2015

ISBN: 978-84-8443-543-3

Depósito Legal: B-19.767-2012

Impreso en España por Raro

difusión

Centro de
Investigación y
Publicaciones
de Idiomas, S. L

C/ Trafalgar, 10, entlo. 1ª
08010 Barcelona
Tel. (+34) 93 268 03 00
Fax (+34) 93 310 33 40
editorial@difusion.com

www.difusion.com

La chica de Mar del Plata

ELVIRA SANCHO
JORDI SURÍS

difusión

PRESENTACIÓN

La serie **Aventura joven** narra las aventuras que vive un grupo de amigos adolescentes: Mónica, Guillermo, Laura, Sergio y Martín. A través de sus historias, los vas a ir conociendo y, al mismo tiempo, vas a descubrir muchos aspectos del mundo hispano.

A lo largo de la lectura de **La chica de Mar del Plata**, hay una serie de notas que te van a ayudar a comprender mejor el texto y te van a explicar algunas interesantes cuestiones culturales, referentes a Argentina.

Recuerda que para entender un texto, no es imprescindible conocer el significado de cada una de las palabras: intenta comprender el texto en su totalidad y disfruta al máximo de la lectura.

Esta novela va acompañada de un CD audio (que contiene además archivos mp3) con el que podrás escuchar la historia grabada por una voz argentina.

«Después de la lectura», te proponemos una serie de actividades. Te van a permitir comprobar si has entendido el texto y te van a ayudar a incorporar nuevo vocabulario o a reflexionar sobre los temas de actualidad que preocupan a los jóvenes. Al final de la novela, hemos añadido las soluciones a esas actividades.

¡Disfruta de la historia!

CAPÍTULO 1

—¡Venga! ¿Qué os pasa? ¡Más atención!

Gómez, el entrenador[1] del equipo del instituto Gaudí de Barcelona habla con sus jugadores en la media parte del partido.

—Raúl, atención con el 6. Y Sergio, mueve la pelota.

—¡Vale!

El equipo de Barcelona lleva la camiseta amarilla.

—Martín... —continúa Gómez.

—Sí.

—¡Tienes que chutar[2] sin miedo!

Gómez está nervioso. Su equipo pierde por 3 a 1 en la media parte. Cree que sus chicos no están concentrados.

—Atención... —continúa— atención con el 6 de los rojos, por favor, es muy bueno.

—Vale —responden los chicos.

Juegan contra el equipo del colegio Peralta Ramos de Mar del Plata. Este equipo lleva una camiseta de color rojo.

—¡Venga! ¡A jugar! —dice finalmente el entrenador.

Los jugadores vuelven al terreno de juego y el árbitro[3] señala el comienzo de la segunda parte. Martín pasa la pelota a Sergio y este se la pasa a Raúl. Un jugador del equipo contrario llega antes y chuta la pelota fuera.

---

1 **entrenador:** persona que prepara y dirige a los jugadores en la práctica de un deporte.

2 **chutar:** en el fútbol, lanzar el balón con el pie.

3 **árbitro:** persona que en las competiciones deportivas cuida de que se cumplan las normas del juego.

El equipo Gaudí representa a España en el campeonato de fútbol sala[4] para institutos de países de habla hispana. Solo participan los institutos ganadores de cada país. Este año juegan en Mar del Plata, el colegio ganador de Argentina es de esa ciudad. Ahora están en la primera fase de la eliminatoria[5].

—¡Ánimo, Sergio! —grita una chica entre los espectadores. Es Laura, una chica alta y rubia, amiga de Sergio y Martín, jugadores del equipo amarillo.

—Hoy no están jugando bien —le dice Laura a Mónica, que está a su lado.

—No sé qué les pasa —contesta Mónica. Es delgada y morena y es la mejor amiga de Laura. Sigue el partido con mucho interés.

Un chico pelirrojo, un poco gordo, se les acerca sonriendo.

—Hola, Mónica. Hola, Laura —dice.

Es Guillermo.

—Hola, Guille —contestan las chicas—. Llegas tarde.

—Es que me he dormido.

—Sí, ya lo veo.

Guillermo se sienta al lado de las chicas.

—¿Cómo van? —pregunta.

—Perdemos por 3 a 1.

—¿De verdad?

—Sí, es que...

Un grito interrumpe la conversación. «¡Goool!».

—¿Quién ha marcado? —pregunta Laura.

—Nosotros.

—Ha marcado Raúl, después de un pase[6] de Sergio —explica Mónica, contenta.

---

4 **fútbol sala**: modalidad del fútbol que se juega en un recinto más pequeño, con cinco jugadores por equipo.

5 **fase eliminatoria**: fase de la competición entre 16 equipos, anterior a los cuartos de final, entre los ocho mejores.

6 **pase**: hecho de lanzarse la pelota entre los jugadores del mismo equipo.

—¡Bien! —gritan las chicas mientras se abrazan y saltan de alegría. Están contentas y empiezan a animar a su equipo.

—Ahora van 3 a 2 —explica Mónica. El partido continúa. Una mujer baja con el pelo corto se acerca a las chicas. Es Ángela, una profesora de Física del instituto que ha viajado con los chicos a Mar del Plata. Va con Roberto, el profesor de Lengua. Han acompañado a los chicos a Argentina. Les ayudan a estudiar y con los deberes para seguir el curso.

—¿Cómo van? —pregunta Ángela.

—Perdemos —contesta Mónica desilusionada.

Roberto saluda a las chicas. Luego mira el partido.

En ese momento Raúl, que juega de defensa, tiene la pelota y se la pasa a Sergio, pero el 6 del otro equipo llega antes y se la lleva. Empuja a Sergio que cae al suelo y, solo, delante del portero[7], chuta. La pelota pasa bajo las piernas del portero y entra en la portería.

—¡¡Goool!!— gritan los seguidores del Peralta Ramos. Casi todo el público anima a su equipo.

—¡Peralta!, ¡Peralta! —gritan y aplauden.

—¡Árbitro, ha sido falta[8]! —grita enfadado Sergio.

—¡Ostras[9]! ¡Otro gol! —exclama Guillermo desanimado.

—Este gol no vale. El 6 ha hecho falta a Sergio.

Pero el árbitro pita[10] el gol y el partido continúa.

—4 a 2 —exclama Laura desanimada—. Nos van a eliminar.

—Sí, necesitamos un empate[11].

Gómez grita a sus jugadores:

—¡Venga, venga, venga, ánimo...! —está enfadado.

—Nos vamos —dicen Roberto y Ángela—. Nos vemos luego en la biblioteca.

7 portero: jugador que defiende la portería para que no entre un gol.
8 falta: incumplimiento de las normas del juego.
9 ostras: para expresar disgusto o asombro en lenguaje coloquial.
10 pita: sonido que hace el árbitro, para indicar diferentes momentos de un partido.
11 empate: igual puntuación.

El partido está muy emocionante. Martín va al centro del terreno de juego. Pasa la pelota a Raúl y este la pasa entre dos jugadores rojos. Sergio llega corriendo y se la pasa a Martín que se acerca a la portería roja. Un defensa[12] contrario llega corriendo y despeja el balón que sale del campo.

Martín va a buscarla. La pelota se ha parado delante de los pies de una chica. Martín levanta la cabeza. La chica tiene una mirada muy extraña. Es una chica no muy alta y delgada que lleva un vestido negro. Lleva un gorro rojo sobre el pelo también negro. Martín la mira con atención. Después coge la pelota y vuelve al terreno de juego.

Solo faltan diez minutos para el final del partido. Guillermo se levanta y dice a sus amigas:

—Voy a comprar un refresco.

El chico va al bar y pide una Coca-Cola. Cuando va a pagar oye un grito. «¡Goool!».

—¿Quién ha marcado? —pregunta mirando hacia el campo.

Los jugadores de camiseta amarilla se abrazan. Un grupo de seguidores saltan y gritan contentos en la grada.

—Los españoles, ¡qué *boludos*[13]! —contesta enfadado un chico que lleva una camiseta roja.

—¡¡Bien!! —grita Guille.

Cuando llega junto a sus amigas, pregunta:

—¿Quién ha marcado?

—Martín.

—Ya van 4 a 3. Martín ha marcado el tercero.

—¡Bien! —grita Guillermo—. Todavía podemos ganar.

En aquel momento se oye un grito: «¡Uy!». Es Martín que ha chutado al palo[14]. Un defensa del equipo argentino para la pelota y organiza un rápido contraataque[15].

---

12 **defensa**: jugador que impide que el balón pase a la zona de su portería.

13 **¡qué boludos!**: expresión coloquial argentina, para decir "¡qué tontos!". Normalmente se utiliza entre personas de confianza.

14 **palo**: parte de madera de la portería.

15 **contraataque**: reacción contra el avance del equipo contrario.

La pelota pasa entre Raúl y Sergio, que no la pueden parar. Un jugador de camiseta roja llega corriendo y chuta, pero el portero detiene la pelota.

—¿Has visto al alto ese, el del pelo corto?— dice Laura señalando al número 6 del equipo rojo.

—¿El del pelo negro?

—Sí, ese. Se llama Gustavo. Lo he oído.

—No sé, no me gusta.

—¿Has visto qué piernas tiene? —exclama Laura riendo.

— Oye, Laura, pero tú tienes a Sergio.

—¿Y qué? ¿Está bueno, no? —exclama Laura con una sonrisa.

—La verdad es que los chicos de aquí tienen algo[16].

—Sí, y además son simpáticos. A mí me encanta cuando dicen *sos un boludo*.

—¿De qué habláis? —pregunta Guille que se ha acabado el bocadillo.

—De tíos buenos[17].

Faltan pocos minutos para el final del partido. Ahora Sergio tiene la pelota y organiza el contraataque, pero el número 6 rojo, Gustavo, corta el pase y los amarillos tienen que volver a defender.

El partido se está acabando. Martín baja hasta la defensa y le quita la pelota a un jugador del otro equipo y corre con ella hacia la portería contraria. Regatea[18] a un defensa contrario. Ya está en el campo contrario... Luego regatea a otro defensa... El portero sale para pararlo, pero Martín chuta. La pelota pasa por el lado del portero y entra en la portería.

—¡¡Goool!!

Laura y Mónica saltan de alegría. ¡Han empatado el partido! Poco después el árbitro señala el final del partido.

—¡Ahora sí que pasamos a la siguiente fase!

16 **tener algo**: ser físicamente atractivo.
17 **tíos buenos**: (coloquial) chicos guapos. "Estar bueno" significa "ser guapo".
18 **regatear**: movimiento rápido de un jugador para evitar al contrario.

CAPÍTULO 2

Después de ducharse, Sergio y Martín toman sus bolsas de deporte y se despiden de sus compañeros.

Gómez, el entrenador, les ha dado permiso para volver al hotel más tarde. Salen a buscar a las chicas y a Guille.

—¡Estamos en las semifinales[1]! —grita entusiasmado Martín cuando los ve.

Después de hablar un poco del partido, van a pasear por la playa. Mar del Plata está a 400 km de Buenos Aires y tiene más de 17 km de playas. En verano están llenas de gente que toma el sol y se baña. Pero hoy es un día gris y frío de invierno en el hemisferio Sur.

Los chicos pasean por la arena. El mar está gris, como el cielo. Mónica, Martín y Guillermo van delante. Martín está contento y habla animadamente. Laura y Sergio les siguen detrás.

—¡Qué bonito es tu país! —dice Laura. Sergio vive en España, en Barcelona, pero es argentino.

—Sí, es verdad —exclama el chico contento—. ¡Y Mar del Plata es la ciudad más bonita de toda la costa atlántica!

Delante de ellos Martín, Guillermo y Mónica se han parado.

—¿Qué hace esa chica? —pregunta Martín de repente señalando hacia el océano.

Hay una chica junto al agua, mirando hacia el mar. Lleva un vestido negro y un gorro rojo.

La chica ha empezado a andar y entra en el agua.

—¡Está entrando en el agua vestida! —exclama Guillermo sorprendido.

---

[1] **semifinales:** dos partidos entre los cuatro mejores equipos, los ganadores juegan la final.

Los movimientos de la chica son lentos y extraños. Mónica siente miedo.

—A esta chica le pasa algo, esto no es normal —dice.

La chica ha entrado en el mar. El agua le llega hasta las rodillas. Avanza lentamente, luchando con dificultad contra las olas.

—¡Eh! —grita Martín. «Este vestido, este gorro...» piensa «¿dónde he visto a esta chica?»

—¡Eh, tú! —grita otra vez Martín. «¡Ya sé! La he visto en el partido» recuerda de pronto.

La chica continúa avanzando. Ahora el agua le llega hasta la cintura. Una ola la empuja y por un momento desaparece bajo el agua. Poco después vuelve a salir y sigue avanzando con dificultad.

—¡Está loca! —exclama Guillermo.

Ahora los chicos solo ven su cabeza fuera del agua. Después solo ven el gorro rojo flotando sobre el agua.

—Oye, ¡que no sale! —exclama Mónica preocupada.

—¿Qué pasa? —preguntan Sergio y Laura acercándose.

—Esta chica, se está ahogando.

—¡Eh, tú! —grita otra vez Martín.

Pero no se ve a la chica. Solo el gorro rojo se levanta con una ola y luego desaparece en el agua.

Martín deja la bolsa de deporte en el suelo, se quita los zapatos y la chaqueta y rápidamente se mete en el mar. El agua está muy fría, pero Martín empieza a nadar. El gorro rojo vuelve a aparecer en la superficie del agua. Martín nada con fuerza. Por unos momentos desaparece en el agua.

Poco después se oye la voz de Martín a lo lejos.

—¿Qué dice? —pregunta Guille.

—¡Tiene a la chica!

—¡Mira! ¡Se están acercando! ¡Ya llegan! —exclama Laura.

Martín nada de espaldas con la chica cogida por el cuello. Cuando salen del agua la chica está temblando.

—¿Cómo estás? —pregunta Mónica a la chica.

La chica no la mira ni le responde. Continúa temblando, con las manos juntas sobre el estómago. Tiene la mirada perdida.

Martín coge su chaqueta del suelo, abre la bolsa de deporte y saca la toalla.

—Sécate, te vas a resfriar —le dice Laura.

—¿Qué hacemos? —pregunta Guillermo a sus amigos.

—¿Vives por aquí? —le pregunta Laura a la chica. La chica no responde. De repente empieza a llorar.

Los chicos se miran. Martín está preocupado, se quita la chaqueta y se la pone a la chica por encima de los hombros.

—Oye... —empieza a decir Sergio.

Pero la chica le interrumpe:

—Vivo aquí, en... —dice con voz débil.

—Te acompañamos a casa.

—Vivo con mi abuela, ¿*entendés*²?

—¿Y qué pensabas hacer? —pregunta Mónica.

La chica no responde.

—Oye, si tienes problemas...—empieza a decir Guillermo.

Sergio se ha quitado la chaqueta y se la pasa a Martín.

—Anda, póntela —dice.

Martín se quita la camisa y se pone la chaqueta de Sergio.

—Vamos —dice—. Te acompañamos a tu casa.

---

2 *entendés:* forma propia de Argentina para decir "entiendes". También se utiliza "vos" y no "tú" para dirigirse a la persona con la que se habla, con el verbo en plural. Esto se conoce como voseo y es muy frecuente en el español de América. Así como usar "ustedes" en lugar de "vosotros" para la segona persona del plural con su correspondiente conjugación. En el texto de la novela indicaremos este uso en cursiva, así como otras variedades propias del español de Argentina.

CAPÍTULO 3

La gente que pasa por la calle los mira con curiosidad. La chica vive cerca de la playa. Se para delante de la portería de un edificio de cuatro pisos. Hay plantas en los balcones. Busca las llaves en los bolsillos de su vestido mojado.

Los chicos suben las escaleras estrechas detrás de la chica, hasta llegar al primer piso.

— ¡*Pasen*! —dice en voz baja.

Desde el salón se oye una voz:

—¿*Sos vos*?

—Sí, abuela, soy yo.

La chica hace pasar a los chicos a su habitación. Abre un armario y le da una camisa seca a Martín.

—Es de mi padre, —dice— *ponétela*.

Luego coge más ropa del armario y sale de la habitación.

Guille se sienta en la cama y exclama:

—¡Ostras!

—Se quería suicidar, ¿verdad? —exclama Mónica.

—Sí, esta chica quiere morir, estoy seguro —dice Sergio.

Poco después vuelve la chica. Se ha cambiado la ropa. Con una toalla se seca el pelo.

—¿Cómo te llamas? —pregunta Guille.

—Eufemia —responde la chica.

—¡Anda! Como mi prima —exclama Guillermo—. También se llama Eufemia.

—¿Ah, sí?— la chica lo mira con curiosidad. Tiene unos ojos muy negros—. A mí no me gusta este nombre. Prefiero que me llamen Mita.

—¿Mita?

—Sí, de Eufemita.

«¡Qué guapa es!», piensa Martín que no la escucha. Quiere decirle algo «¿qué haces?, ¿estudias?, ¿dónde?, ¿por qué has entrado en el agua vestida?, ¿te has intentado suicidar?, ¿qué problemas tienes que...?». Pero no sabe qué decir.

—Eufemia, digo Mita, ¿podemos ayudarte? —pregunta Sergio.

—No, gracias, estoy bien...

En aquel momento se oyen unos pasos lentos detrás de la puerta.

Una mujer se acerca hablando sola, enfadada.

—¡Esa chica... —dice —nunca *sabés* dónde está ni lo que hace. Solo problemas y más problemas...

—Es mi abuela.

La mujer abre la puerta de la habitación y entra.

—Mmm —exclama al ver a los chicos—. Y estos, ¿quiénes son?

—Nada, abuela, son unos amigos. Ya se van...

CAPÍTULO 4

Los siguientes días los amigos hablan con frecuencia de la chica de la playa.

—¡Qué chica más rara! ¿No?

—Sí, y su abuela...

—Martín, tú tienes la camisa de Mita, ¿verdad?

—Sí, es verdad. Tengo que devolvérsela.

El campeonato de fútbol sala continúa. Gómez, el entrenador, reúne a los jugadores. Ha terminado la primera fase y los mejores equipos se preparan para las semifinales.

—Tenemos que jugar contra el equipo de un instituto de México, de Acapulco.

—Los he visto jugar —dice Raúl que ha ido a ver todos los partidos.

—Son muy buenos —dice Sergio.

—Sí, son muy buenos —dice Gómez—. Defienden bien y tienen buenos delanteros[1]...

—Entonces... —pregunta Martín—. ¿Los otros semifinalistas son los de aquí?

—Sí. Los del Peralta. A estos ya los conocemos —contesta Gómez.

—... y el instituto de Chile, ¿verdad?

—Los de Chile son buenos, pero irregulares...

—Antes de empezar las semifinales... —continúa el entrenador— jugaremos dos partidos amistosos[2], para preparar el partido contra el equipo del instituto de Acapulco.

---

1 **delantero:** jugador que tiene como misión principal atacar al equipo contrario.

2 **partido amistoso:** partido no decisivo en una competición, no elimina equipos.

Dos días después los chicos juegan un partido amistoso contra un instituto de Bolivia.

Hay poca gente viendo el partido.

El equipo de Bolivia no está en un buen momento y el equipo de Martín está ganando 6 a 1.

Sergio, que juega de medio[3] y Martín, de delantero, forman un tándem perfecto. Raúl también está muy bien en defensa. Martín chuta muchas veces a puerta[4], pero el portero para muchos balones. Los errores del árbitro les han ayudado a ganar: ha expulsado por error a un jugador contrario y también ha dado un gol no válido a los suyos. Los chicos de Bolivia se han enfadado muchísimo.

—Esta vez el árbitro os ha ayudado —le dice Mónica a Raúl al final del partido.

—Sí, ya lo sé. ¡Mejor para nosotros! —responde este—. Bueno, chicos. Vamos, el autocar nos espera.

Los partidos se juegan en diferentes campos y los chicos a veces han de ir en autocar.

—Con los árbitros es así... —explica Martín ya en el autocar que los lleva al hotel.

—Además, los del instituto de Bolivia no han jugado bien —repite Laura.

—El portero es bueno...

—Sí, lo es —dice Martín.

—Han tenido suerte de tener ese portero...

---

[3] **medio:** jugador que actúa entre la defensa y la delantera, su misión es contener al equipo contrario y ayudar en su labor a las otras dos líneas.

[4] **chutar a puerta:** chutar a la portería para meter gol.

CAPÍTULO 5

Juegan otro partido amistoso contra Uruguay. Esta vez empatan.

—Más concentración —les pide Gómez.

Después de analizar el partido, los chicos salen a pasear, las chicas les acompañan. Gómez va con ellos. Están contentos y ríen mucho.

Por fin llegan las semifinales. Si ganan pasan a la gran final. Es el partido contra el equipo de México. Es un partido difícil porque es uno de los favoritos[1]. Tienen que ganar para pasar a la final.

Gómez, el entrenador, insiste:

—¡Mucha concentración!

Poco a poco los jugadores llegan a los vestuarios[2].

Laura y Sergio llegan juntos. Laura saluda a algunos chicos que ha conocido estos días. Mónica no ha venido porque está enferma.

Poco después llega Martín. Y luego Guillermo.

—Tú juegas hoy, ¿no? —le pregunta Martín.

—No, Raúl ya puede jugar.

También hay algunos jugadores de otros equipos. Vienen a ver el partido. Saludan a Sergio y a Martín. Laura ve al número 6 de los rojos, Gustavo. Está con otros chicos de su equipo. Ve como se acerca a Martín y lo saluda.

Laura lo mira. Hay algo que no le gusta de él. Su manera de hablar, su manera de moverse, su mirada...

El partido empieza. Laura se sienta en las gradas, al lado de Guillermo.

---

1 **favorito:** en lenguaje deportivo, el equipo o el jugador que tiene más probabilidad de ganar la competición.

2 **vestuario:** lugar para cambiarse de ropa.

De repente, alguien le toca el hombro.

—¡Eh, hola! —dice una voz a su espalda.

—Hola... ¡Ah... ah! Eres tú, la chica de... de la playa.

—Sí, la chica de la playa.

—Mita —recuerda Laura.

—Sí, te vi y...

—¿Quieres sentarte?

—Gracias.

Mita se sienta en las gradas al lado de Laura.

—¿Te gusta el fútbol? —le pregunta Laura.

—No, la verdad es que no... —dice Mita. Después se queda en silencio.

—Ya... —dice Laura—. Yo voy a todos los partidos del campeonato, con Mónica.

—Ah, sí. ¿Dónde está? —pregunta Mita con interés.

—Hoy no ha venido, se encuentra mal. Y a Guillermo ya lo conoces...

—Hola.

—Hola.

—Martín y Sergio juegan en el equipo —explica Guillermo.

—¿Y *vos*? —pregunta Mita.

—Alguna vez, de suplente...[3] —contesta Guille.

—¡Ah! —dice la chica cambiando de tema—. Martín vino a devolverme la camisa.

—¿Ah, sí? —exclama Laura sorprendida.

—Yo no estaba. Me lo dijo mi abuela.

—Sí, claro... —Laura no lo sabía— la camisa...

—¡Goool! ¡Goool! —de repente, gritan entusiasmadas unas amigas de Sergio.

—¡Goool! —gritan Laura y Guillermo. Mita sonríe y aplaude.

---

3 **suplente:** jugador que sale al campo en lugar de otro.

—1 a 0 —comenta Guillermo— Mita, ¿tú estudias?

—Sí, voy a un cole⁴ de aquí. Los chicos de mi curso juegan en el campeonato.

—Son los de la camiseta roja, ¿verdad? —pregunta Guille.

—¡Ah!, entonces, vas a favor de los del Peralta —dice Laura.

—No, la verdad es que no, en realidad no me gusta el fútbol —contesta rápidamente la chica.

—Entonces, ¿por qué...? —pregunta Laura extrañada.

—Juegan esta tarde contra Chile —interrumpe otra vez Guillermo—. Si ganan pasan a la final.

—¡Gol! —gritan unos chicos a su lado.

—Gol de los mexicanos —dice Guillermo, enfadado.

—¡No! El árbitro ha anulado el gol.

Mita mira hacia el terreno de juego. Al otro lado, sentados en las gradas, jugadores de otros equipos miran el partido mientras comen *papas* fritas⁵. Hay jugadores de los equipos de Argentina y de Chile. Quieren ver a su próximo rival. El ganador de este partido jugará la final. Gustavo también está.

Mita mira hacia allá y ve a los chicos de su colegio.

—¿Has venido con gente de tu instituto? —pregunta Laura.

Pero Mita no contesta. Mira al suelo.

El partido continúa. La verdad es que no es muy bueno. Pero al final, acaba con victoria por 1 a 0.

—Mita, ¿por qué no vienes a tomar algo con nosotros? —la invita Laura—. Martín se alegrará.

—Bueno —dice la chica mirando a su alrededor—. Gracias.

---

4 **cole**: colegio.
5 *papas* fritas: patatas fritas, se toman como aperitivo.

CAPÍTULO 6

En el bar los chicos están muy animados.

—¡Ya estamos en la final! —exclama Sergio.

—¡Qué bien! ¿Contra quién jugaréis? —pregunta Laura, contenta.

—Contra los ganadores del Argentina-Chile —responde Guille.

—Juegan esta tarde —explica Martín.

—Sí, ya lo sé— dice Mita.

—Los del Peralta son buenos.

Han pedido unos refrescos. Los chicos hablan animadamente del campeonato, de su país, de sus amigos...

Martín habla poco. Mira a sus compañeros y a veces, tímidamente, a Mita.

—¡*Che*[1], Martín!—, dice la chica de repente—. *Vos pasaste* por casa a devolver la camisa, ¿no?

—Sí, yo... —Martín se pone colorado— es que no estabas.

—Sí, me lo dijo mi abuela.

Laura mira a Martín, divertida.

Sergio y Guille vuelven a hablar del campeonato.

—Yo creo que son más buenos los argentinos —insiste Sergio.

— Sí, pero el equipo de México tiene a Sánchez, que es...

De repente Sergio mira a Mita.

—O sea que *vos* vas al Peralta Ramos, ¿verdad?

—Sí... —contesta la chica—. Bueno, no.

—¿Sí o no?

—En realidad hace unos meses que no paso por el cole.

Martín escucha con interés a la chica.

---

1 **che:** expresión típica argentina para llamar, detener o pedir atención a alguien, o para expresar asombro o sorpresa.

—¿Haces campana todos los días? —pregunta Guille sorprendido.

—¿Campana? ¿Qué es eso?

—Es cuando alguien no va a la escuela pero sus padres creen que sí —explica Sergio.

—Ah, *hacerse la rata*. No, *mirá...*

El camarero llega con los refrescos.

—¿Me trae una bolsa de patatas fritas? —pide Guillermo.

Cuando el camarero se va, Mita llena su vaso de limonada.

—*Mirá...* —Mita está seria— Es que estuve en un *loquero*.

—¿*Loquero*?

—Sí, psiquiatra.

—¡Ah, entiendo! —exclama Guillermo— ¿Tienes problemas...? —Guillermo se lleva un dedo a la cabeza.

—¡Guille! —le interrumpe Laura. Luego mira a Mita—. ¿Qué te pasó?

—Bueno, en realidad estuve internada en un psiquiátrico. Salí hace poco. Vivo con mi abuela, ya saben...

—¿No tienes padres? —pregunta Guille.

—Sí, tengo. Bueno, hace años que no veo a mi madre.

—¡Anda!

—Mi papá es militar y nunca está en casa, por eso vivo con mi abuela.

—¿Y por qué no ves a tu madre?

—¡Guille!

—Bueno, ¿qué pasa? —exclama este enfadado.

—Mi madre se fue de casa cuando yo tenía cuatro años. Casi no la recuerdo.

Los chicos se quedan un momento en silencio. Mita mira hacia la puerta. Un grupo de chicos y chicas entra en el bar.

—¡Hola! —dice Martín saludándolos—. Ellos también juegan en el campeonato.

—Sí —dice Laura—. Conozco a algunos. Aquel moreno juega con el equipo de Argentina, ¿verdad?

—Sí, se llama Gustavo...

—Sí, ya lo sé.

Los chicos se sientan en la barra y piden una limonada.

—¿Los conoces, Mita? —pregunta Martín.

Pero Mita no contesta. Está muy nerviosa.

—¿Estás bien? —le pregunta Laura que ha visto el cambio en su nueva amiga.

—Me tengo que ir, me tengo que ir —contesta la chica, deprisa.

—Pero, ¿qué te pasa?

La chica no responde. Se levanta y coge su bolso. Parece más pequeña.

—¡Mita! —exclama Laura.

Mita se acerca a Laura. Acerca su boca a la oreja de su amiga.

—Me persiguen —dice en voz baja.

Al cruzar el bar, tropieza con una silla que cae al suelo. El camarero mira sorprendido a la chica y levanta la silla. Pero Mita ya ha salido del bar.

Martín mira a sus amigos, preocupado.

—¿Qué le pasa? —pregunta a Laura.

—No lo sé. No sé qué le ha pasado.

—Pero, ¿qué te ha dicho? —pregunta Sergio.

—Me ha dicho «me persiguen».

—¿«Me persiguen»? —repite Martín.

—Oye... —dice Guillermo.

—¿Qué?

—Se ha ido sin pagar.

CAPÍTULO 7

—¿Y dices que se fue corriendo del bar?

Los chicos están en la habitación de Mónica y Laura. Mónica está en la cama. Ahora ya se encuentra mejor.

—Sí, vino con nosotros a tomar algo a un bar. Estábamos hablando tranquilamente...

—No vive con su madre —interrumpe Guille—. Su madre se fue de casa cuando ella tenía cuatro años.

—Va al colegio Peralta Ramos —explica Martín.

—Por cierto, ¿contra quién jugamos la final? —pregunta Sergio.

—Contra Argentina. Ganaron 4 a 2.

—Pasado mañana es la final, ¿verdad?

—Entonces, a lo mejor la vemos pasado mañana —dice Mónica.

—¿A quién?

—A Mita.

—Sí, quizás.

—Es una chica muy rara —comenta Guillermo.

—Es que tiene problemas —explica Martín.

—Ha estado internada en un psiquiátrico. Hace poco que ha salido.

—¿En un psiquiátrico? —Mónica intenta reconstruir la historia de Mita con los comentarios de sus amigos—. ¿Y qué le pasa?

—No nos lo ha contado —contesta Sergio—. Solo ha dicho que...

—Ahora parece que está bien.

—No sé..., ahora sí..., pero la verdad... —dice Laura preocupada— yo hoy la he visto muy mal... Antes de irse me dijo «me persiguen».

Los chicos están en la biblioteca del hotel haciendo deberes. Guille está con Mónica delante de un ordenador. Buscan información para su trabajo de Sociales.[1]

—Mira, he encontrado una página web de los países hispanohablantes.

—Sí —Mónica lo mira—. Sí, esta parece buena.

—Espera —Guiller vuelve a inclinarse sobre la pantalla y teclea algo—. Aquí hay otro enlace[2] interesante... Mira...

—Sí, este también está muy bien —Mónica lee un poco y continúa. Luego mira a Martín y le pregunta:

—¿Tú has acabado con el trabajo de Sociales?

—¿Mmmm?

—...el trabajo de Sociales.

—El trabajo de Sociales, ¿qué? —Martín la mira sin entender.

—¿Que si lo has acabado?

—Ah, no, todavía no. La verdad, no me apetece nada hacerlo.

—Es por el partido de mañana, ¿no? —pregunta Guille sin apartar los ojos de la pantalla.

—¿Eh? No, no sé...

Martín está triste y preocupado.

Por la tarde, Gómez y los chicos entrenan para la final del día siguiente. Entrenan en un campo de fútbol sala cerca del hotel. Martín, Sergio, Guille y sus compañeros juegan un minipartido.

Gómez no está muy contento con el entreno.

—Pero, ¿qué te pasa? —le pregunta a Martín. El chico ha fallado dos goles claros.

Martín se encoge de hombros. Intenta concentrarse, pero comete muchos fallos.

---

[1] Sociales: asignatura que se ocupa del estudio de la historia y la geografía.

[2] enlace: en una página web, palabra o grupo de palabras que permite acceder a información nueva.

CAPÍTULO 8

—¿Qué pasa Eufemita? ¿Ya no *saludás* a los amigos?

La calle está solitaria. Está oscureciendo y las tiendas ya están cerradas. Solo las luces de las farolas iluminan la acera estrecha.

Mita se asusta al ver el chico que se acerca a ella. Se le caen los libros que lleva en las manos. Se agacha a recogerlos, pero el chico los pisa.

Otros dos chicos miran la escena unos pasos más atrás.

—¡*Che*, si son los libros de la clase! ¿Vas a volver a estudiar? ¿No te *quedás* a vivir con los locos?

—*Dejame* en paz —grita Mita asustada.

—¡Uh, uh! *Mirá* que valiente se volvió la mosquita muerta[1] —dice el chico agarrándola del brazo.

Los otros chicos ríen.

Eufemia intenta deshacerse, pero él le aprieta el brazo más fuerte.

De repente Mita, se gira y muerde al chico en el brazo con fuerza. Él grita. Aparta el brazo y ella aprovecha para salir corriendo.

Ahora él está rojo de rabia:

—¡A *vos* te la tengo jurada[2], *pelotuda*[3]!

El chico sigue gritando, pero Eufemia ya ha doblado la esquina. Sigue corriendo hasta llegar a la calle más ancha. Algunas personas pasan por la calle. Ahora Mita camina rápido y mira atrás de vez en cuando. Al llegar a su casa está temblando.

---

[1] **mosquita muerta**: persona aparentemente débil, que se aprovecha de su apariencia inofensiva.

[2] **tener(la) jurada**: tener intención de vengarse de alguien, de hacerle algún mal.

[3] *pelotuda*: en Argentina, expresión que se usa como insulto.

CAPÍTULO 9

Martín está distraído toda la mañana. No se puede concentrar.

—¿En qué estás pensando, Martín? —le pregunta Mónica cuando lo va a buscar para comer.

Los chicos bajan al comedor del hotel. Se sientan en una mesa larga con sus amigos.

—Todavía no te has acabado la sopa —pregunta Gómez.

—Es que no tengo hambre... —contesta Martín.

—Pues está muy buena —dice Guille.

—Si la quieres... —Martín le pasa su plato a Guille. Martín está muy preocupado.

Por la noche, el chico se reúne con sus amigos en la habitación de las chicas.

—¿Sabéis? —les dice muy serio—. Mañana voy a ir a su casa.

—¿A casa de quién?

—¿De quién? ¡De Mita!

—¿De Mita?

—Sí —contesta Martín, serio—. Esa chica está mal. Necesita ayuda. O necesita amigos, no lo sé. ¿Venís conmigo?

—¡Vale! Voy contigo —dice Guille.

—Podemos ir a ver si está bien, y así nos quedamos tranquilos —propone Mónica, preocupada por Martín.

—Vamos todos —dice Sergio.

—La verdad, —repite Martín— creo que está mal. Yo creo que vino al partido para vernos. Porque necesita ayuda...

—Es verdad. No le gusta el fútbol.

—Quizás es verdad que la persiguen —dice Laura.

—¡O está loca! —comenta Mónica.

CAPÍTULO 10

—Y *ustedes, ¿quiénes son*?

La abuela de Mita ha abierto un poco la puerta y mira a los chicos con desconfianza.

—Somos unos amigos de Mita.

—¡De Mita! —dice con mal humor.

—Sí, de Eufemia —aclara Martín.

—No los conozco.

Detrás de la puerta a medio abrir la abuela de Mita parece más vieja. Tiene el cabello gris y lleva una bata y zapatillas de estar por casa[1].

—Estuvimos aquí hace unos días, ¿recuerda? —dice Mónica.

La mujer la mira atentamente sin responder.

—¿Qué quieren? —pregunta finalmente.

—¿Está ella en casa?

—No, no está. Salió.

—Señora, ¿sabe si tardará en volver?

—Nunca sé cuando sale y cuando vuelve. ¡Esta chica...!

—Señora, —la interrumpe Sergio— sabemos que Mita tiene problemas. Estuvimos hablando con ella hace unos días. Vino a ver el partido de fútbol.

Finalmente la mujer abre la puerta.

—*Pasen* —dice.

Luego, mirando a Martín le dice:

—*Vos sos* Martín, ¿verdad?

—Sí —contesta el chico un poco colorado—. Estuve aquí...

---

1 de estar por casa: vestir de forma sencilla y cómoda.

—Sí, sí, ya sé, la camisa —y dirigiéndose a todos añade—. *Pasen*.

Los chicos entran en la casa.

—*Pasen* y *siéntense*.

Los chicos pasan al salón.

—Hace dos días que no la veo —empieza a explicar la mujer. Parece cansada y triste—. Estoy muy preocupada. Esta noche no ha venido a dormir. Quién sabe si le pasó algo. La pobre... —la mujer duda—, la pobre... la... no está...

—Nos explicó que estuvo internada en un psiquiátrico —le ayuda Laura.

—Sí —dice la mujer pensativa—. Así que lo *saben*. A lo mejor está con su *viejo*[2].

—¿No lo ha telefoneado para preguntarle por ella?

—¿A mi hijo? —la mujer ríe tristemente—. Hace años que no nos hablamos.

—¿No se hablan? —pregunta Guille.

—No sé nada de él —responde la mujer enfadada.

—Señora, ¿nos puede dar el teléfono de su hijo? —pregunta Laura.

—No sé el número. Pero les daré la dirección...

[2] *viejo*: en algunos países de América se utiliza para designar cariñosamente al padre, y "vieja", a la madre, de manera coloquial.

CAPÍTULO 11

El padre de Mita vive en La Perla, un barrio céntrico de Mar del Plata. Cuando los chicos llegan, es casi de noche.

La portera mira a los chicos con curiosidad.

—Vamos a la casa del coronel[1] Gutiérrez —dice Mónica.

—Segundo piso, primera puerta. El ascensor está a la izquierda.

Cuando salen del ascensor, oyen a dos hombres que discuten detrás de una puerta. Es la primera puerta.

—Es aquí —dice Laura.

Martín pone el dedo sobre el timbre y aprieta.

Cuando suena el timbre los hombres de detrás de la puerta callan. Unos pasos rápidos se acercan y la puerta se abre.

Un hombre delgado pero fuerte, con el pelo gris, los mira. Al ver a los chicos su cara expresa decepción. Probablemente esperaba a otra persona.

—¿Señor Gutiérrez?

—Sí, soy yo.

—Somos amigos de Mita... de Eufemia —dice Laura—. ¿Está en casa?

—¡Ah!, sí... Eufemia. No, no está. ¿Qué *quieren*?

—Es que queremos hablar con ella.

—Pues no *se encuentra*[2] —dice el hombre con impaciencia.

—En realidad estamos preocupados por ella —dice Martín.

—¿*Son* amigos suyos? —pregunta el padre de Mita sorprendido.

—No... Sí. La conocemos del campeonato de fútbol.

---

1 **coronel**: jefe militar, en el ejército.
2 **no se encuentra**: "no está", en Argentina.

—¿De fútbol? —ahora el coronel está realmente sorprendido.

—No. Es que su colegio participa...

—¿Su colegio? —pregunta ahora el coronel con dureza— ¿Ustedes la...?

—Es que hemos ido a casa de su abuela —interrumpe Martín— y no estaba.

—Hace dos días que no va por allí —explica Mónica.

El coronel los mira con desconfianza.

—¿De qué la *conocen*?

—Del fútbol —repite Guillermo.

—¿Del fútbol? ¿A Eufemita le gusta el fútbol? ¿Juega al fútbol?

—No, es que...

—Mire, señor... —interrumpe Mónica— no sé si usted lo sabe, pero hace unos días, su hija intentó suicidarse, en el mar.

El hombre mira a Mónica a los ojos en silencio unos segundos.

—*Pasen* —dice abriendo la puerta—. Bien, *expliquénme* lo que saben de mi hija.

—El otro día... —empieza a contar Mónica— después del partido de fútbol en el colegio Peralta Ramos, fuimos a dar una vuelta por la playa. No había nadie por allí, pero de repente vimos a una chica que entraba en el agua...

—¡Vestida! —dice Laura—. Y hacía mucho frío...

—La chica, Eufemia, fue entrando en el mar hasta que una ola la empujó —siguió Laura.

—Y desapareció en el agua...

—Solo se veía el gorro rojo. Y ella no salía...

—Entonces Martín se tiró al agua, fue nadando y la sacó...

En aquel momento alguien llama a la puerta interrumpiendo la explicación. Un hombre bajo vestido de militar entra en el salón.

—Con su permiso, mi coronel —dice. El hombre se acerca al padre de Mita y le dice algo en voz baja.

—No puede ser —contesta él en voz baja—. ¡En algún lugar tiene que estar!

El hombre continúa hablando en voz baja. El coronel parece preocupado y enfadado.

—Busque otra vez. En mi habitación.

—A sus órdenes, mi coronel —el hombre saluda[3] y sale. El padre de Mita está preocupado. Está un momento en silencio y dice:

—*Continúen.*

—La chica nos dijo que vivía cerca, en casa de su abuela...

—*Salieron* del agua muy mojados, ¿sabe?... —interrumpe Mónica.

—Así que fuimos a casa de su abuela, y allí ella se cambió de ropa y le dejó una camisa a Martín.

—Y luego nos fuimos...

—Pero anteayer la volvimos a ver. Nuestro equipo jugaba las semifinales...

—El colegio Peralta también era semifinalista...

—Ahora los dos equipos somos finalistas. Mañana jugamos la final del campeonato —explica Sergio.

—... y Mita estaba allí —continúa Laura—. Vino a saludarme y estuvimos hablando. Es una chica muy simpática. Luego fuimos todos a un bar, a tomar un refresco...

—Yo no, estaba enferma —aclara Mónica.

—Nos lo pasamos muy bien. Ella nos explicó algunas cosas de su vida: que ha estado mal, que ha faltado al colegio, el psiquiátrico, y todo eso —Laura se calla un momento.

—De repente se puso muy mal. «Tengo que irme», dijo. Estaba muy nerviosa. Yo pregunté «¿qué te pasa?». Y me dijo «me persiguen».

—Ayer estuvimos muy ocupados —explica Martín— acabando trabajos y con la preparación del partido de mañana...

—Pero finalmente hemos pensado que... —continúa Mónica.

—A Mita le pasa algo —interrumpe Laura—. Seguro que no fue al partido por casualidad.

—Creo que vino a vernos porque quería hablar con nosotros.

El coronel ha escuchado en silencio y los mira pensativo.

---

3 **saluda**: el gesto de llevarse la mano a la cabeza es el saludo militar.

—*Tienen* razón —dice finalmente—. Le pasa algo...

—¿Sabe dónde está ahora?

—*Saben* lo que pasa... —empieza el padre de Mita sin contestar a la pregunta—. Es que Eufemita tuvo una vida difícil. No más que otras chicas, en realidad. Su madre nos dejó cuando ella era muy chica. Conozco otros chicos así... Su vida era más o menos normal, pero no tenía muchos amigos. Iba a la escuela, estudiaba normal, se portaba normal. Nos veíamos cuando yo venía acá, a Mar del Plata. Yo viajo mucho, soy militar...

El coronel se queda un momento en silencio.

—Pero a principios de este curso empecé a verla mal. La verdad, mi madre es mayor, y no se da cuenta de algunas cosas. Hasta que un día me llamaron del colegio. Mita hacía días que no iba a clase.

El coronel está un momento en silencio.

—Descubrimos que un chico le hacía *bullying*, ya *saben* qué es.

—Sí.

—Ella estaba muy mal. Sé que últimamente ha tenido problemas —el coronel mira a los chicos—, pero no sabía lo de la playa.

—Yo creo que se quería suicidar.

—No lo sé. Nunca supimos quién la molestaba, pero después de hablar con ella, cambió. Volvió a ir al colegio, parecía contenta y pensamos que ya estaba bien. Pero un día... —el coronel parece emocionado, no acaba la frase—. Bueno, la tuvimos que internar en un psiquiátrico —el coronel mira a los chicos tristemente—. Cuando salió, estaba bien... —continúa—. La verdad, estaba bien. Pero anteayer por la tarde vino a verme. Estaba extraña otra vez. Parecía cansada y preocupada. Me dijo que quería quedarse acá, conmigo. Se lavó y se cambió. Pero poco después salió sin decir nada. Y esta noche no ha vuelto, no ha dormido acá. No sé nada de ella. Pensé que había vuelto con mi madre.

—¿No tiene teléfono móvil?

—¿*Celular*? No.

CAPÍTULO 12

Hoy es sábado. El día tan esperado de la final. Ha venido mucho público a ver el partido.

Laura y Mónica saludan con la mano a su tutor Roberto, a Ángela y a Carmen que están unas gradas más atrás con otros profesores de otros colegios.

Guillermo hoy está convocado[1] por el entrenador, como suplente. Laura y Mónica están en la entrada de los vestuarios dando ánimos a sus compañeros.

—¡Guille! —dice Mónica a su amigo —¡A ver si marcas un gol!

—No sé si jugaré. Estoy de suplente.

—Yo creo que sí que jugarás... —dice Martín.

—Bueno, tenemos que ir a cambiarnos —dice Sergio.

—Oye, Laura —dice Mónica—. ¿Aquella chica no es...?

—¿Quién?

—Allá...

—No, no la veo.

—Ahora no se ve... Quizás me he equivocado.

Martín mira hacia donde señalan sus amigas. Él sí la ve. O no. No, no puede ser ella. Martín se pone nervioso.

El árbitro señala el principio del partido. Al equipo de Barcelona le cuesta organizar su juego. Además, un defensa se lesiona[2].

Guillermo sale a jugar.

---

1 **estar convocado**: llamar a una persona para que participe en algo.
2 **lesionarse**: hacerse daño practicando un deporte.

Poco a poco el equipo de Barcelona empieza a recuperarse. Por suerte el equipo contrario también falla. Gustavo, el número 6 de los rojos juega muy duro y el árbitro le saca tarjeta amarilla[3].

De repente Martín vuelve a ver a la chica. «¿Es ella? No, no es ella. ¿O sí?»

En aquel momento la pelota le pasa por el lado y él no la ve. El entrenador le grita. Martín corre detrás de la pelota y se la pasa a Sergio, pero mira otra vez hacia la chica. Ahora está más cerca de ella. Sí, es Mita, pero lleva el pelo corto y desordenado. Tiene una expresión muy rara en la mirada.

Algunas imágenes empiezan a pasar por la mente de Martín. Recuerda a la chica la primera vez que la vio, con su gorro rojo. Y después en la playa. Recuerda a la chica en el partido de la semifinal. Había jugadores de su colegio, el Peralta Ramos, viendo el partido, pero ella no estaba con ellos. Estaba con Mónica y Laura. Y luego en el bar, la chica parecía tan tranquila y de repente, se puso tan nerviosa. ¿Por qué? Recuerda que él saludó a chicos de otros equipos que entraban en el bar. También los del Peralta Ramos.

Recuerda las palabras del coronel: «un chico le hacía *bullying*». Recuerda las palabras de la chica: «ahora no voy al cole».

—Martín, ¿qué te pasa? —grita Sergio al pasar por su lado.

Un jugador contrario avanza con la pelota. Martín le cierra el paso. Pero vuelve a mirar al público. La chica ha abierto su bolso y mete la mano dentro.

—Martín, tío[4], ¿qué haces? —grita Raúl sorprendido.

Él recuerda al padre de la chica, en su casa. Estaba muy preocupado. Buscaba algo... un militar, ¿qué puede buscar un militar?

En este momento la chica salta al campo. Martín ve que saca algo del bolso.

... «Un militar»...

---

[3] **tarjeta amarilla**: esta tarjeta significa un primer aviso, al siguiente tiene que abandonar el terreno de juego.

[4] **tío**: (coloquial) chico, hombre.

—¡Ostras, no! —exclama Martín, comprendiendo todo de repente. Empieza a correr.

La chica se mueve entre los jugadores. Lleva en la mano una pistola. Se acerca a Gustavo. Este se vuelve y de repente la ve. Retrocede asustado.

—¡Mita! ¡No! —grita Martín.

Martín se acerca corriendo. La chica apunta hacia Gustavo, pero Martín le coge la mano y le dice:

—Mita ¿qué haces?

—¡Martín! No está cargada... Solo quiero que me deje tranquila.

Los entrenadores de los dos equipos sacan a la chica del campo. El partido se para. Mita gira la cabeza y dice con voz triste:

—Solo quiero que me deje tranquila...

Ahora el partido está parado. El público no entiende bien lo que ha visto. Pero Martín sí lo entiende todo: Gustavo es el chico que hacía *bullying* a Mita hasta volverla loca. Y ahora ella quería asustarlo.

Martín mira a Gustavo que está pálido. Este ve la mirada de rabia de Martín y se da cuenta de que lo sabe todo.

—Bueno, no sé si vamos a continuar el partido —dice Gómez después de reunir a sus jugadores.

—¿Qué ha pasado? —pregunta Raúl.

En aquel momento se acercan el árbitro y el entrenador del otro equipo.

—¿Qué hacemos? —pregunta el árbitro.

—¡Continuar, vamos a continuar! —dice Martín.

El entrenador del equipo argentino mira a sus jugadores. Ellos no dicen nada.

—¿Qué pasa? —le pregunta Guille a Martín.

—¡Gustavo es el que le está haciendo *bullying* a Mita!

El árbitro habla con los entrenadores de los dos equipos y deciden continuar el partido.

Tiene la pelota el equipo de Barcelona. Sergio organiza el ataque. Pasa la pelota a Martín que juega entre los defensas contrarios. Un defensa lo empuja y cae al suelo. El árbitro señala falta.

Los jugadores juegan cada vez más fuerte y el árbitro tiene que parar muchas veces el partido.

En la segunda parte, Gustavo recupera la pelota y llega delante del portero contrario que sale a pararlo.

Gustavo lo regatea y, solo, delante de la portería, chuta.

—¡Oh, no! —exclama Mónica. Ella y Laura siguen el partido nerviosas desde las gradas.

Pero Guillermo llega corriendo y salva el gol.

—¡Uy! —exclama el público.

Ahora Guillermo marca[5] de cerca a Gustavo. No le deja jugar.

Gustavo está enfadado. En un momento, empuja a Raúl, que cae al suelo en medio de varios jugadores.

Gustavo avanza hacia la portería contraria, pero Guillermo llega corriendo y le da una patada. Gustavo cae al suelo.

— ¡Vamos, *levantate*! —dice el árbitro que no ha visto la patada.

El partido continúa. Ahora Martín y sus compañeros dominan el partido. Llegan con frecuencia a la portería contraria.

Martín chuta y la pelota toca al palo de la portería.

—¡¡Uuuy!! —grita el público.

Falta poco para el final del partido. Continúan 0 a 0.

Martín y Gustavo corren detrás de la pelota. Están en el medio del terreno de juego. Martín llega primero a la pelota, pero Gustavo choca con él y los dos caen al suelo.

Martín se levanta y recupera la pelota. La pasa a Guillermo. Este la pasa a Sergio que corre por la banda.[6]

Martín avanza por el centro entre los jugadores contrarios y llega al área.

---

[5] marcar (de cerca): en el fútbol y algunos otros deportes, situarse cerca de un contrario para dificultar su juego.

[6] banda: parte más exterior del campo de fútbol.

Sergio centra[7] y Martín chuta a puerta.

—¡¡¡Goool!!! —gritan Laura y Mónica.

El público argentino ve que su equipo va a perder el partido.

Los seguidores del instituto Gaudí empiezan a animar: «¡Gaudí! ¡Gaudí!»

Los jugadores del equipo de Barcelona se abrazan, contentos.

Poco después, el árbitro señala el final del partido.

Los jugadores de ambos equipos se saludan deportivamente[8].

Martín no saluda a Gustavo y se va a hablar con sus amigas.

El entrenador del equipo argentino se dirige a Gustavo, que está pálido y enfadado:

—Gustavo —le dice serio— *vos* y yo vamos a hablar. Y no de fútbol.

Se oye una voz por los altavoces:

«Ya ha acabado la final del campeonato internacional entre colegios de habla hispana. El ganador de la gran final ha sido el instituto Gaudí de Barcelona, España».

El público aplaude.

Mónica y Laura de pie sobre las gradas gritan: «Gaudí, Gaudí».

Los profesores de los chicos ríen y aplauden contentos.

Los jugadores del equipo español se acercan a la tribuna[9]. Allí el alcalde de Mar del Plata les entrega el trofeo[10].

Hay una cámara de la televisión filmando.

---

[7] **centrar**: en fútbol, lanzar el balón desde un lado del terreno hacia la parte central próxima a la portería contraria.

[8] **saludarse deportivamente**: darse la mano cuando acaba un partido, costumbre entre deportistas.

[9] **tribuna**: lugar preferente en un campo de deporte.

[10] **trofeo**: objeto que se entrega al ganador de un campeonato.

Martín se acerca a Gómez:

—¿Y la chica?

—Han avisado a su padre.

—Se la llevaron en una ambulancia, ha tenido una crisis nerviosa —añade el entrenador del otro equipo que se ha acercado a felicitarles.

Martín está muy preocupado.

—Se pondrá bien —lo anima Mónica.

—¿Tú crees? —dice Martín.

—Martín, ya verás que sí. ¿Sabes?, Gustavo se ha llevado un buen susto. ¿Has visto lo pálido que estaba?

—Sí, es verdad.

—¡Y vaya patada que le ha dado Guille! —añade Sergio.

CAPÍTULO 13

El lunes es el último día para los chicos en Mar del Plata.

El sábado por la noche los equipos que han participado en el campeonato celebran una fiesta en un restaurante de la ciudad y después van a bailar a una discoteca. Los chicos van a dormir muy tarde.

El domingo se levantan también tarde. Laura y Sergio salen a pasear por la playa. Sergio lleva su cámara y saca unas fotos. Luego se sientan cerca del agua.

—¡Qué bien se está aquí! —dice Laura.

—Sí. Un poco de tranquilidad después de la fiesta de ayer va bien.

—La fiesta estuvo bien —Laura mira a su amigo— ¡Y habéis ganado!

—Sí pero el último partido fue muy duro —recuerda Sergio—. Y con la chica esta...

—¿Mita? ¿Crees que ya está bien?

—Espero que sí.

—Martín quería despedirse...

—Sí, lo sé, pero...

Después de unos momentos de silencio, Laura pregunta:

—Finalmente está en casa de su padre, ¿verdad?

—Sí. Él se ha comprometido a estar con ella y vigilarla.

Laura mira al mar, pensativa.

—A Martín le gusta la chica, ¿verdad?

—Mmm, no... Sí, supongo.

—¿Cómo que supongo? ¿Le gusta o no le gusta?

—¡Ay, Laura, qué preguntona eres! Yo qué sé. Sí, un poco. Lo normal.

—¿Lo normal? Ay, Sergio, ¡Qué *boludo sos*!
Los dos ríen.

Finalmente es lunes. Los chicos tienen que volver a su país. Todos están en la estación de autocares. Las maletas, mochilas y bolsas se amontonan en el suelo.

—¿A qué hora sale el autocar? —pregunta Guille.

—A las 12.30 —responde Mónica.

—Vale. Dentro de quince minutos.

Están esperando el autocar que los llevará al aeropuerto internacional de Buenos Aires desde donde tomarán el vuelo a Barcelona.

—Martín, ¿no has traído *croissants* esta vez? El viaje hasta el aeropuerto dura seis horas, ¿recuerdas? —dice Laura con ironía.

Martín siempre compra *croissants* en los viajes.

Pero Martín hoy no parece de muy buen humor.

De repente Sergio le toca el brazo. Alguien se está acercando. Es una chica. Martín la ve y su cara se ilumina.

De pie, vestida de negro y con el gorro rojo sobre el pelo corto está Mita. Lleva una bolsa en la mano.

Unos pasos más atrás, su padre se ha parado a mirar las revistas de un quiosco.

Mita se acerca a los chicos.

—¡Eh, hola, has venido! —saluda Laura.

—Sí, vine con papá —Mita señala a su padre. Este levanta la mano y saluda a los chicos.

—¡Qué *tengan* buen viaje! —dice Mita.

—Gracias.

Laura se adelanta y le da dos besos; después los otros se despiden.

Cuando llega a Martín, le da un paquete.

—A ver si te gusta.

Sus amigos van hacia el quiosco a saludar al padre de Mita.

Martín abre el paquete.

—¡Gracias! —dice Martín con una sonrisa. Es la camiseta de la selección argentina de Leo Messi—. Me encanta —dice el chico mirando a Mita—. Un día voy a volver a Argentina.

—Eso me gustaría.

—¿En serio?

Mita sonríe.

—¡Qué *boludo sos*! Claro que hablo en serio.

Mita se acerca y le da un beso en los labios. Después se despide con la mano y se va a buscar a su padre.

Martín la mira un momento. Está contento. Sabe que Mita va a vivir con su padre... en Buenos Aires. El coronel ha pedido un traslado y unas largas vacaciones para cuidar a su hija. Mita va a ir un colegio nuevo y a seguir tratamiento médico.

Sí, Martín está muy contento.

Laura y Mónica se han acercado al chico. Se miran entre ellas y sonríen.

Todos están callados. De repente Guille se pone a reír.

—Ja, ja, ja...

—¿De qué te ríes? —pregunta Martín un poco confuso.

—¿Te acuerdas?

—¿De qué?

—¿Te acuerdas de la patada que le di al 6? Ja, ja, ja...

DESPUÉS DE LA LECTURA

CAPÍTULOS 1, 2 Y 3

1. ¿Qué? ¿Cómo? ¿Dónde? ¿Quién?

El capítulo empieza con la descripción de un partido de fútbol.
   a. ¿Qué equipos juegan?
   b. ¿Dónde juegan?
   c. ¿Quién va ganando al principio del partido?
   d. ¿Cómo quedan al final del partido?
   e. ¿Quién ha marcado los dos últimos goles del equipo Gaudí?

2. ¿Quién es quién?

Sitúa los nombres de los siguientes personajes en los diferentes grupos:

Ángela • Laura • Guillermo • Mónica • Gómez • Roberto • Martín • Sergio

> público

> jugadores del equipo del instituto Gaudí

> profesores del instituto

> entrenador del equipo del instituto Gaudí

3. ¿Qué dicen? ¿Es verdad?

Laura y Mónica hablan mientras miran el partido.
a. Laura y Mónica hablan sobre sus estudios.   V F
b. Las chicas piensan que es imposible que su equipo pierda.   V F
c. De la conversación se deduce que Laura sale con Sergio.   V F
d. A Mónica le gusta el número 6 del otro equipo.   V F
e. Ellas piensan que los argentinos son agradables y simpáticos.   V F

4. ¿Por qué?

A. ¿Por qué no hace sol en las playas de Mar del Plata?
a. Porque nunca hace sol en estas playas.
b. Porque es frecuente que no haga sol en invierno.
c. Porque es un día excepcionalmente gris.

B. ¿Por qué en verano la ciudad de Mar del Plata está llena de turistas?
a. Porque es la capital de Argentina.
b. Porque es una bella ciudad con más de 17 km de playas.
c. Porque es muy barata.

C. ¿Por qué la chica del gorro rojo entra vestida en el mar?
a. Porque es una costumbre argentina.
b. Porque se quiere suicidar.
c. Porque quiere nadar y no lleva bañador.

D. ¿Por qué Mónica está preocupada cuando ve a la chica en el agua?
a. Porque se ha asustado al ver que iba a ahogarse.
b. Porque se asusta siempre.
c. Porque por su culpa, su amigo Martín se ha mojado.

5. ¿Cómo es...? ¿Dónde está...?

Completa las frases con las siguientes palabras:

> Buenos Aires, español, argentinos, argentinas, Argentina, atlántica.

a. Mar del Plata es una ciudad de .... que está en la costa ....

b. Mar del Plata está a 400 kilómetros de .... que es la capital de Argentina.

c. Los chicos de Argentina son .... y las chicas ....

d. En Argentina se habla ....

6. ¿Sabes...?

Contesta con tus propias palabras.

a. ¿Cómo se llama la chica que encuentran en la playa?

b. ¿Dónde vive la chica?

c. ¿Con quién vive?

d. ¿Por qué le deja una camisa a Martín?

e. ¿Qué piensa Martín de la chica?

7. Y ahora tú...

a. ¿Cuál es el deporte que se juega en tu escuela o instituto?

b. ¿Has jugado alguna vez un partido de fútbol?

c. ¿Eres de algún equipo de fútbol?

d. ¿Has visitado alguna vez Argentina? ¿Qué te pareció?

e. Aparte de Buenos Aires y Mar del Plata, ¿conoces otras ciudades del país?

CAPÍTULOS 4, 5 Y 6

8. ¿Qué hacen?

A. Completa las siguientes frases con los verbos adecuados en el tiempo presente y en la persona que corresponda.

jugar • estudiar • preferir • ayudar

a. Antes de empezar las semifinales los del equipo del instituto Gaudí .... dos partidos amistosos.
b. Los chicos por las mañanas .... o hacen deberes en la biblioteca del hotel.
c. Guillermo .... estar con sus amigos.
d. El árbitro esta vez .... a los chicos del instituto Gaudí.

B. Forma cinco frases que tengan sentido relacionando un elemento de cada grupo.

1. Antes de empezar las semifinales...
2. En el partido contra Bolivia el árbitro...
3. Los del equipo Gaudí para pasar a la gran final...
4. Mita les cuenta a los chicos...

a. ... favorece al equipo de Barcelona.
b. ... tienen que ganar al equipo de México.
c. ... jugarán dos partidos amistosos.
d. ... que ha tenido problemas y que ha estado internada.

9. ¿Cómo es?

Describe con tus propias palabras a los siguientes personajes según sus características o gustos. Puedes ayudarte con los adjetivos y expresiones que hay en este recuadro:

> alegre, extraño/a, misterioso/a, espontáneo/a,
> valiente, sociable, deportista
> delgado/a, moreno/a, alto/a, rubio/a
> español/a, argentino/a
> Le gusta...
> Es amiga de...
> Sale con...

Laura

Laura es una chica alegre y sociable.
Le gustan el fútbol y los chicos.
Es amiga de Guille, Martín y Sergio.
Sale con Sergio.

Mita

Mónica

10. Vamos a jugar...

Busca el intruso entre estas palabras.

a. pelota, árbitro, fútbol, puerto, equipo, portero, delantero, jugador.
b. argentinos, estudiantes, boliviano, chileno, mexicanos, españoles.
c. psiquiatra, militar, profesor, entrenador, camarero, amigo.

11. ¿Qué sabes de... ?

En el campeonato juegan equipos de varios países de habla hispana. Relaciona los países de Latinoamérica de habla hispana con sus capitales. Si no las sabes, búscalas en internet o en una enciclopedia.

PAÍSES	CAPITALES
1. México	a. Montevideo
2. Guatemala	b. Buenos Aires
3. Honduras	c. Santiago
4. El Salvador	d. Asunción
5. Nicaragua	e. La Paz
6. Costa Rica	f. Lima
7. Panamá	g. Quito
8. Cuba	h. Bogotá
9. República Dominicana	i. Caracas
10. Puerto Rico	j. San Juan
11. Venezuela	k. Santo Domingo
12. Colombia	l. La Habana
13. Ecuador	m. Ciudad de Panamá
14. Perú	n. San José
15. Bolivia	ñ. Managua
16. Paraguay	o. San Salvador
17. Chile	p. Tegucigalpa
18. Argentina	q. Ciudad de Guatemala
19. Uruguay	r. México, D. F.

12. ¿ Sabías que ...?

En África también se habla español. En Guinea Ecuatorial, el español también es lengua oficial.

13. Y ahora tú...

Escribe todo lo que sepas ahora de Mar del Plata y de Argentina. Después busca en la web o en la enciclopedia 3 datos que te gustaría saber sobre el país. Comparte la información con tus compañeros.

CAPÍTULOS 7, 8 Y 9

14. ¿Qué pasa?

A. Resume con tus palabras la historia de Mita.

Mita es una chica de Mar del Plata, Argentina. Va al instituto...

B. Reconstruye la escena ordenando las frases.

- [ ] **a.** Un chico se acerca a Eufemia.
- [ ] **b.** Eufemia muerde al chico en el brazo.
- [ ] **c.** Eufemia se asusta.
- [ ] **d.** El chico la agarra por el brazo.
- [ ] **e.** La chica llega a su casa temblando.
- [ ] **f.** Eufemia sale corriendo.
- [ ] **g.** A Eufemia se le caen los libros.

15. Y ahora tú...

A. ¿Has conocido de cerca algún caso de *bullying*? Explícalo brevemente.

B. ¿Quién crees que tiene que actuar para solucionar estos casos de *bullying*: la escuela, los padres, la policía, los compañeros? ¿Cómo? Discute con tus compañeros posibles soluciones y propuestas.

CAPÍTULOS 10, 11 Y 12

16. ¿Qué pasa?

Elige la respuesta correcta.

A. Martín y sus amigos están preocupados por Mita porque...
   a. creen que tiene problemas.
   b. creen que no le gusta el fútbol.
   c. creen que está enferma.

B. La abuela de Mita dice sobre su hijo...
   a. que no hablan a menudo porque no sabe su teléfono.
   b. que hace años que no sabe dónde vive.
   c. que no tiene relación con él.

C. Los chicos van a casa del coronel para...
   a. explicarle que están preocupados por Mita.
   b. buscar la ropa de Mita.
   c. comentar el campeonato de fútbol.

D. El coronel recibe a los chicos y...
   a. no quiere hablar con ellos de nada porque tiene trabajo.
   b. habla con los chicos y les explica la historia de su hija.
   c. habla con los chicos pero evita hablar de su hija.

E. A Mita lo que le ocurre es...
   a. que no le iban bien los estudios en el colegio.
   b. que tenía una enfermedad mental.
   c. que unos chicos la molestaban en el colegio.

CAPÍTULOS 13, 14 Y 15

17. ¿Por qué?

Completa las frases.

   a. Martín está nervioso en el partido porque piensa en ....
   b. Martín recordando escenas llega a la conclusión de que Mita
   ....
   c. Mita apunta contra Gustavo porque ....
   d. Mita quería asustar a Gustavo porque ....
   e. Martín quiere continuar el partido porque ....
   f. Una ambulancia se lleva a Mita porque ....

18. ¿Qué significa?

A. El árbitro le saca la tarjeta amarilla a Gustavo. Esto significa:
   a. un primer aviso, al siguiente tiene que abandonar el terreno de juego.
   b. que saca la camiseta que lleva como castigo por jugar duro.
   c. que saca a Gustavo del campo de juego.

B. Raúl grita a Martín, «tío, ¿qué haces?». Esta expresión aquí significa:
a. que quiere saber cuál es el plan de juego de Martín.
b. que se queja de lo mal que está jugando Martín.
c. que le pregunta a Martín por su tío.

C. Cuando el árbitro les pregunta si quieren parar el partido, Martín responde «¡Continuar, vamos a continuar!». Con ello quiere decir:
a. que no ha pasado nada importante.
b. que el fútbol es lo principal.
c. que quiere ganar a Gustavo en el campo de juego.

19. ¿Qué sabes de...?

Todas estas palabras están relacionadas con el fútbol. Escríbelas al lado de su definición.

- entrenador • gol
- equipo • seguidor
- portero • partido • chutar
- falta • defensa • marcar
- jugador • árbitro
- contrario • empate

a. Jugador cuya función es que el balón no entre en la portería.
b. Cuando el balón entra en la portería contraria.
c. Persona encargada de preparar a los jugadores de un equipo.
d. Grupo de personas organizadas para realizar una actividad determinada, en este caso un deporte.

e. Juego de competición en la que se enfrentan dos jugadores o equipos.

f. Jugador que impide que el balón pase a la zona de su portería.

g. En el fútbol, lanzar el balón con un pie.

h. Persona que vigila que se cumplan las normas.

i. Acción que va en contra de las reglas del juego.

j. Cuando los dos equipos tienen la misma puntuación.

k. Persona que juega o practica un deporte.

l. Del otro equipo.

m. Que es partidario y apoya a un equipo.

n. Conseguir un punto en el juego. En el caso del fútbol se consigue con un gol.

20. ¿Cuál? ¿Cuáles?

Señala entre las siguientes palabras las que corresponden al español que se habla en Argentina.

vos, hacer campana, boludos, vosotros sos,
entendés, ponétela, che,
hacerse la rata, papas fritas,
no te quedás, dejáme, pelotuda, celular,
viejo (por padre), entiendes,
teléfono móvil, patatas fritas

21. Y ahora tú...

A. Resume en pocas frases cómo acaba la historia para cada personaje.

El equipo Gaudí

Los chicos

Mita

B. ¿Puedes pensar un final diferente para la historia? Escríbelo en tres o cuatro frases. Después coméntalo con tus compañeros.

SOLUCIONES

1 a. El equipo del instituto Gaudí de Barcelona y el del colegio Peralta Ramos de Mar del Plata.

b. Juegan en Mar del Plata, Argentina.

c. El equipo del Peralta Ramos gana por 3 a 1.

d. Quedan empatados.

e. Uno Raúl y el otro, Martín.

2 público: Guillermo, Laura y Mónica.

jugadores del equipo Gaudí: Martín, Sergio.

profesores del instituto Gaudí: Ángela y Roberto.

entrenador del equipo Gaudí: Gómez.

3 a. F; **b.** F; **c.** V; **d.** F; **e.** V.

4 A. b; **B.** b; **C.** b; **D.** a.

5 a. Mar del Plata es una ciudad de **Argentina**, que está en la costa **atlántica**.

b. Mar del Plata está a 400 kilómetros de **Buenos Aires** que es la capital de Argentina.

c. Los chicos de Argentina son **argentinos** y las chicas **argentinas**.

d. En Argentina se habla **español**.

6 Respuesta posible:

a. Se llama Eufemia pero la llaman Mita.

b. Vive cerca de la playa.

c. Vive con su abuela.

d. Porque Martín se ha mojado la suya.

e. Piensa que es muy guapa y se pregunta qué hace y qué problema debe tener para querer suicidarse.

8 A a. Antes de empezar las semifinales los del equipo del instituto **juegan** dos partidos amistosos.

b. Los chicos por las mañanas **estudian** o hacen deberes en la biblioteca del hotel.

c. Guillermo **prefiere** estar con sus amigos.

d. El árbitro esta vez **ayuda** a los chicos del instituto Gaudí.

8 B 1. c; 2. a; 3. b; 4. d.

9 Respuesta posible:

Mónica es una chica delgada y morena. Es la mejor amiga de Laura. Le gusta el fútbol. También es amiga de Guille y Sergio.

Mita es una chica argentina no muy alta y morena. Tiene los ojos oscuros. Parece un poco extraña y misteriosa.

10 a. puerto; b. estudiantes; c. amigo.

11 1. México (país), **r.** México, D. F. (capital)

2. Guatemala, **q.** Ciudad de Guatemala

3. Honduras, **p.** Tegucigalpa

4. El Salvador, **o.** San Salvador

5. Nicaragua, **ñ.** Managua

6. Costa Rica, **n.** San José

7. Panamá, **m.** Ciudad de Panamá

8. Cuba, **l.** La Habana

9. República Dominicana, **k.** Santo Domingo

10. Puerto Rico, **j.** San Juan

11. Venezuela, **i.** Caracas

12. Colombia, **h.** Bogotá

13. Ecuador, **g.** Quito

14. Perú, **f.** Lima

15. Bolivia, **e.** La Paz

16. Paraguay, **d.** Asunción

17. Chile, **c.** Santiago (de Chile)

18. Argentina, **b.** Buenos Aires

19. Uruguay, **a.** Montevideo.

14 A Posible respuesta:

Mita es una chica de Mar de Plata, Argentina. Va al instituto Peralta Ramos. Cuando era pequeña su madre se fue de casa. Ella vive con su abuela y a veces, va a casa de su padre. Estuvo un tiempo en un psiquiátrico porque tuvo problemas. Hace poco ha salido pero parece que sigue teniendo problemas. Se comporta de una manera un poco extraña y ha intentado suicidarse en el mar. Unos chicos del instituto le hacen *bullying*.

14 B 1 **a**, 2 **b**, 3 **g**, 4 **d**, 5 **b**, 6 **f**, 7 **e**.

16 A a; **B** c ; **C** a; **D** b; **E** c

17 a. Martín está nervioso en el partido porque piensa en Mita.

b. Martín recordando escenas llega a la conclusión que Mita tiene la pistola de su padre.

c. Mita apunta contra Gustavo porque quiere asustarlo y que la deje en paz.

d. Mita quería asustar a Gustavo porque le hacía *bullying*.

e. Martín quiere continuar el partido porque quiere ganar el partido a Gustavo.

f. Una ambulancia se lleva a Mita porque ha tenido una crisis nerviosa.

18 A. a; **B.** b ; **C.** c

19 a. portero; **b.** gol; **c.** entrenador; **d.** equipo; **e.** partido; **f.** defensa; **g.** chutar; **h.** árbitro; **i.** falta; **j.** empate; **k.** jugador; **l.** contrario; **m.** seguidor; **n.** marcar.

20 *vos, boludos, sos, entendés, ponétela, che, hacerse la rata, papas fritas, no te quedás, dejáme, pelotuda, viejo* (por padre), *celular.*